高橋留美子
28
少年サンデーコミックス
らんま1/2

RANMA NIBUNNOICHI

らんま1/2

28

高《たか》橋《はし》留《る》美《み》子《こ》

★前巻《ぜんかん》までのあらすじ★

無差別格闘早乙女流《むさべつかくとうさおとめりゅう》を使《つか》う拳法《けんぽう》の達人《たつじん》・早乙女玄馬《さおとめげんま》は、その昔《むかし》、妻《つま》・のどかに〝誓《ちか》い〟をたてて、幼《おさな》い息子《むすこ》の乱馬《らんま》と共《とも》に修行《しゅぎょう》の旅《たび》に出《で》た。

その〝誓《ちか》い〟とは、「乱馬《らんま》を男《おとこ》の中《なか》の男《おとこ》に育《そだ》てる」というもの。さらに、「それが果《は》たせなかったら父子《おやこ》ともども切腹《せっぷく》します」との念書《ねんしょ》まで、わざわざしたためて旅《たび》に出《で》て行《い》ったのだ。

しかし、早乙女《さおとめ》父子《おやこ》の修行《しゅぎょう》は、水《みず》をかぶると玄馬《げんま》はパンダに、同《おな》じく乱馬《らんま》は女《おんな》の子《こ》に変身《へんしん》してしまう…という悲惨《ひさん》な結果《けっか》に終《お》わったワケ。

だから、玄馬《げんま》と乱馬《らんま》は、のどかの前《まえ》に姿《すがた》を現《あらわ》せないんだよね…!!

らんま1/2 28　　**目　次**

■高橋留美子■

PART《パート》.1

母《かあ》さん、おれが乱馬《らんま》です

ITOKYU
世界の熊展
7F
壱万円均一大セール
インテリアフェア
5F
世界のお惣菜大バーゲン
ったくよー…
たまーにおふくろに会《あ》ってるってのに…
なーんでこんなかっこう…
ふう〜〜〜
どお？乱子《らんこ》ちゃん。
シャッ

ヤングカ
きゃっ乱子《らんこ》ちゃんかわいいっ、
やっぱり女《おんな》の子《こ》ねー。
きゃっ本当《ほんとう》!? おばさまっ。
あのっこれください。
よかったじゃない乱子《らんこ》ちゃん。
よくねーわよ。
ITOKYU
世界の
ふう…
いつになったら乱馬《らんま》は帰《かえ》ってくるのかしら…
しみじみ
おばさま…乱馬《らんま》に会《あ》いたいでしょうねえ。
そりゃあたった一人《ひとり》の息子《むすこ》だもの。
男《おとこ》らしく育《そだ》った乱馬《らんま》に早《はや》く会《あ》いたい…
しみじみ

クレ
乱馬《らんま》 あんたねー、
いーかげん おかあさんに 名乗《なの》り出《で》て あげたら?
ひそひそ ひそひそ
半分《はんぶん》 女《おんな》だって バレたら 切腹《せっぷく》させられ るんだぞ。
いーじゃない 腹《はら》の ひとつや ふたつ。
ひとつしか ねーんだよ。
キャー、キャー
熊《くま》だ— —っ!!
熊《くま》が 逃《に》げた ぞーっ!!
ん?
熊《くま》?
世界の熊展

ドドドドド
おばさま…
ダン
おふくろっ!
動《うご》くな!!
へ!?
ダン

な…
なんだ!?
この荒々《あらあら》しい
技《わざ》は!?

大丈夫《だいじょうぶ》か？おばさん。
え、ええ、ありがとう…
あなた…お名前《なまえ》は…？
名乗《なの》るほどの者《もの》じゃない。
じゃっ。
なんて男《おとこ》らしい子《こ》…
あら…？
これ…今《いま》の子《こ》が落《お》として…
ザッザッ

はっ、
こ、これは…
はあ はあ
どうしたのかしら おばさま、血相《けっそう》かえて…
…… ……
あ あのっ…
ん？
なんだ、さっきのおばさんか。
たたた
これ…
あ。
らんま
これはおれの大切《たいせつ》な秘伝書《ひでんしょ》！
よかった…
ドキドキ

こそっ
あ…あの…さっきの技《わざ》…
あれか…
じ〜
無差別格闘《むさべつかくとう》早乙女流《さおとめりゅう》、山千拳《やませんけん》。
10
む…無差別《むさべつ》格闘《かくとう》…早乙女《さおとめ》流《りゅう》〜〜〜?
そ…それじゃもしや、
あなたの名《な》は…
早乙女《さおとめ》乱馬《らんま》。

はあ!?
ら…
乱馬《らんま》〜〜っ 男《おとこ》らしく なって〜〜っ!!
ひしっ
え?
小《ちい》さい頃《ころ》 別《わか》れたから 覚《おぼ》えてないのねっ、 おまえの おかあさんよ。
え…

おかあさんっっ!!
乱《らん》馬《ま》ーーっ!!
ガシっ
ど…
わなわな
どおゆうことなんだ〜〜〜?
うーわんわんわん
昔《むかし》住《す》んでた貧乏《びんぼう》長屋《ながや》はとりこわされて新《あたら》しくここに…
覚《おぼ》えてないわよねえ。
赤《あか》ん坊《ぼう》だったから…

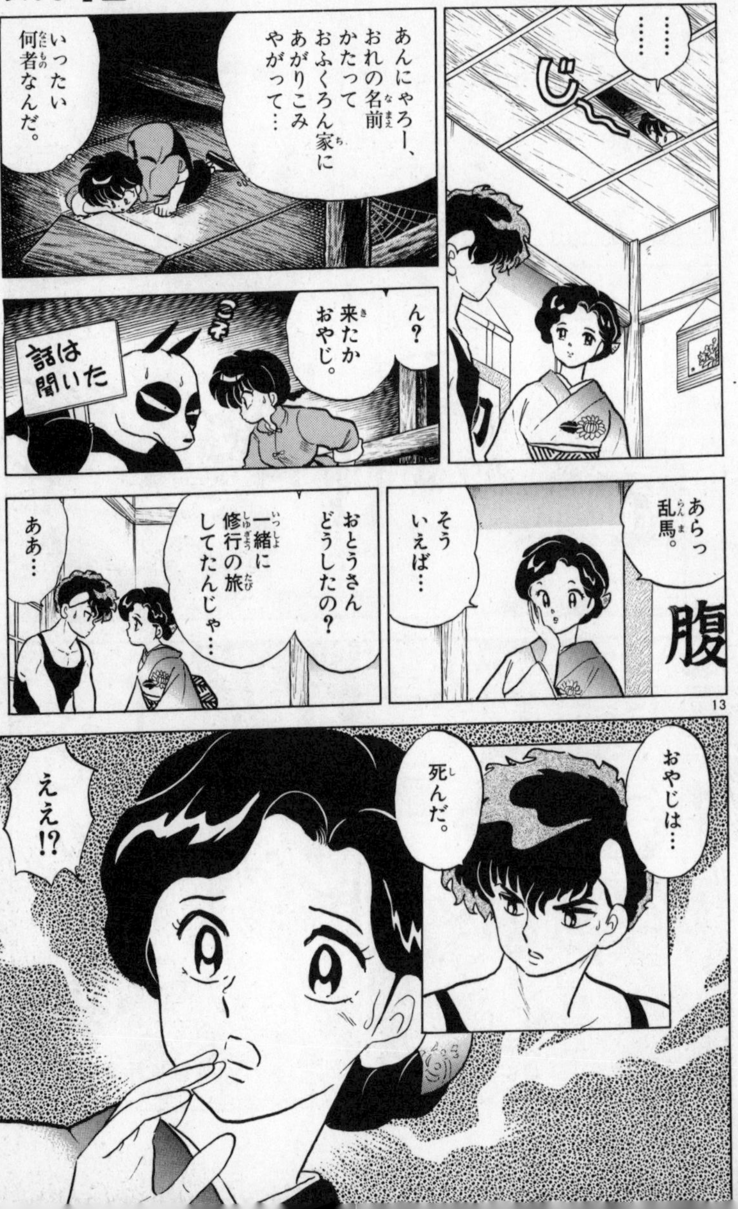
……
じ〜
あんにゃろー、おれの名前《なまえ》かたっておふくろん家《ち》にあがりこみやがって…
いったい何者《なにもの》なんだ。
ん？来《き》たかおやじ。
こそ
話は聞いた
腹
あらっ乱馬《らんま》。
そういえば…
おとうさんどうしたの？一緒《いっしょ》に修行《しゅぎょう》の旅《たび》してたんじゃ…
ああ…
おやじは…
死《し》んだ。
ええ!?

切腹
そうそう、おせんべ食《た》べる？
うん。
切腹
ばっばかっ静《しず》かに…
なんぢゃ そのあっさりしたリアクションわっ
がたたっ
ぎし…
そこかーーっ!!
あらどしたの乱馬《らんま》。
別《べつ》に…
わおーん
わんわん

14

ふっ…
おれは運《うん》がいいぜ…
まさか早乙女《さおとめ》流《りゅう》の縁者《えんじゃ》の方《ほう》から名乗《なの》り出《で》てくるとはな…
早乙女《さおとめ》の家《いえ》にはいりこんだからには…
早乙女《さおとめ》流《りゅう》山千拳《やませんけん》と対《つい》をなすもう一《ひと》つの秘伝書《ひでんしょ》を捜《さが》し出《だ》して…
らんま
おい。

何者《なにもの》なんだ
おまえ。
なんだ?
てめえは。
誰《だれ》でも
いい。
おもてに
出《で》な。

PART《パート》.2
海千拳《うみせんけん》と山千拳《やませんけん》

ヒュ
どこの馬《うま》の骨《ほね》だか知《し》らねえが、
この早乙女《さおとめ》乱馬《らんま》にケンカ売《う》って無事《ぶじ》にすむと思《おも》ってんのか?
早乙女《さおとめ》乱馬《らんま》か…
ふっ。

う～
わん
わん
わん
おかあさんっ。
おれの名《な》をかたっておふくろをだましやがって!!
乱馬《らんま》――
許《ゆる》せねえっ!!
ダッ
ぎらっ

4

ちっ!!
おれの早乙女流《さおとめりゅう》山千拳《やませんけん》を紙一重《かみひとえ》でかわしやがるとは…
できるなてめえ。
けっ、なーにが山千拳《やませんけん》でい!!
でかい声《こえ》でびっくりさせやがって…
早乙女流《さおとめりゅう》の名《な》をかたるとはおこがましい!!
バキバキバキ
おっ。
おっ。

!
もらった!!
ネコのケンカかしら。
!!
あ…？

……?
まずい。
おふくろ…
スキあり。
毒蛇《どくじゃ》探穴掌《たんけつしょう》!!
しっ…
しまっ…

ひょい
ボン
わっ!!
ダン
煙幕《えんまく》!?
ビュ
ちっ。
逃《に》げたか…
乱馬《らんま》…
おかあさん。
どうしたの?
今《いま》、誰《だれ》かと…
コソ泥《どろ》だろう、
おれがやっつけてやったよ。

早乙女流《さおとめりゅう》の名《な》をかたるとはおこがましい!!
あの野郎《やろう》…早乙女流《さおとめりゅう》の関係者《かんけいしゃ》か？
わおーーん
わわわん
わ
油断《ゆだん》しおってバカ者《もの》が…
あやうく心臓《しんぞう》をつかみ出《だ》されるところだったぞ。
おやじ…
山千拳《やません けん》知《し》ってんのか…？
知《し》るもなにも、わしがあみ出《だ》した技《わざ》よ。
なにい〜〜〜？

あまりの荒々《あらあら》しさゆえ封印《ふういん》するはずだった技《わざ》…
やつがどうして山千拳《やませんけん》の秘伝書《ひでんしょ》を手《て》に入《い》れたか知《し》らんが…
そいつがどうしておれになりすまして、おふくろのところに…
やつの目的《もくてき》はおそらく、山千拳《やませんけん》と対《つい》をなす海千拳《うみせんけん》の秘伝書《ひでんしょ》。
海千拳《うみせんけん》？
その秘伝書《ひでんしょ》はどこに…
もしも捨《す》てないでとってあるなら…

かあさんが持《も》っているはずだ。
早乙女流《さおとめりゅう》の技《わざ》…
おばさま——っ。
あんな野郎《やろう》に渡《わた》してたまるか!!
あらっ、乱子《らんこ》ちゃんいらっしゃい。
11
一緒《いっしょ》にごはん食《た》べてく?
乱馬《らんま》が帰《かえ》ってきたからごちそうよ。
それよりおばさま。
乱子《らんこ》、海千拳《うみせんけん》の秘伝書《ひでんしょ》見《み》たいぃ。
海千拳《うみせんけん》?

なあに?
それ。
え…?
どたたっ
どすぅっ
くそっ、
みつからん!
ババババ
海千拳《うみせんけん》と
山千拳《やませんけん》は
表裏一体《ひょうりいったい》。
らば
である。
すべし。
この
以上が山千拳である。
既刊 海千拳
山千拳秘伝書《やませんけんひでんしょ》
二《ふた》つの奥義《おうぎ》を
極《きわ》めてこそ
完璧《かんぺき》な技《わざ》に
なるという。
海千拳《うみせんけん》の
秘伝書《ひでんしょ》…
なんとしても
密《ひそ》かに
捜《さが》し出《だ》して
くれる!!
ふふふふふふふ
ゴゴゴ
とたとた

乱馬《らんま》、ごはんですよ。
ぽんぽん
わあああっ!!
まーしょうがないわねこんなに散《ち》らかして、
あとでちゃんと片付《かたづ》けるのよ。
どきどきどき
は、はいっ。
いちいち騒《さわ》がしい野郎《やろう》だな。
やっぱり男《おとこ》の子《こ》ねえ。
あはははは
よかったバレてねえ。
フッ
なんでバレねーんだ?
13
乱子《らんこ》ちゃん、ごはんがすんだらおばさんと一緒《いっしょ》にお風呂《ふろ》にはいろうね。
ひっ。
乱子《らんこ》急用《きゅうよう》思《おも》い出《だ》しちゃった、
さよならっ。
とたたた
え?

あっ
そうだ。
乱馬《らんま》、
乱子《らんこ》ちゃん
追《お》いかけて。
このリボン
渡《わた》してやってよ。
乱子《らんこ》ちゃんに
似合《にあ》うと
思《おも》って
買《か》っておいた
ものなの。
ちっ。
もう
いねえ…
なんて
足《あし》の速《はや》い
女《おんな》だ。
ん？
しゅたっ
なんだ
あいつ…
しゅた
しゅたた
あの
身《み》のこなし…
ただ者《もの》じゃ
ねえ!!

あの様子《ようす》じゃおふくろは本当《ほんとう》に海千拳《うみせんけん》のことを知《し》らねえ。
じゃあ秘伝書《ひでんしょ》はいったいどこに!?
戻《もど》ったか乱馬《らんま》。
しゅたっ
こそっ
じょぼぼぼ
ちっくしょー。

なんで
実《じつ》の息子《むすこ》の
おれが、
おふくろから
逃《に》げ回《まわ》らなきゃ
なんねーんだ。
むくむく
それは
言《い》わない
約束《やくそく》だろう
乱馬《らんま》。
カーン
そんな
約束《やくそく》
してねえっ!!
なっ、
きのうの
男《おとこ》!!
しかも
あいつが
本物《ほんもの》の
早乙女《さおとめ》
乱馬《らんま》だと!?
いったい
どうなっ
てんだ!?

16

PART《パート》.3
乱《らん》馬《ま》対《たい》乱《らん》馬《ま》

まだニセモノのさばらせてんの!?
ザワザワ
あんたがおかあさんに名乗《なの》り出《で》ればすむことでしょ!
うるせーなっ。
あのニセモノ野郎《やろう》…
ぱき
おれの手《て》でたたきのめさにゃ気《き》がすまねえ!!
で!?
めこっ
こっ黒板《こくばん》が…
ん!?

2

キ
キ
なっ!?
ザワ
ニセ乱馬《らんま》!
ガタッ

よお本物《ほんもの》。
なっ…
ザワザワ
どういう事情《じじょう》だか知《し》らねえが、
母親《ははおや》に名乗《なの》り出《で》られねえ身《み》の上《うえ》らしいなあ。
!

4

おれの本当《ほんとう》の名《な》は公紋《くもん》竜《りゅう》。
公紋《くもん》道場《どうじょう》の跡《あと》とりだった男《おとこ》、…とだけ覚《おぼ》えといてもらおう。
公紋《くもん》…?
5
おふくろさんに、おめーが本当《ほんとう》の息子《むすこ》だってぶちまけてやろうか。
てっ てめえ…
ぶっ殺《ころ》してやる!!
ダッ
ふっ!

てめえ逃《に》げる気《き》かっっ!!
ワー
キャー
こないだはしとめそこねたからな、
決着《けっちゃく》つけようぜ。
ヒュ～～
ゴロロロ…
おれが勝《か》ったらおふくろん家《ち》から出《で》て行《い》ってもらうぜ。
いいなっ!
ふっ…
えらい自信《じしん》じゃねえか。

おめーの山千拳《やません けん》、
おれはすでに見切《みき》っているからなっ!!
ほお。
山千拳《やませんけん》とは最初《さいしょ》の気合《きあ》いがすべて、
動《うご》くな!!
怒声《どせい》で相手《あいて》の動《うご》きを止《と》めたあとは極《きわ》めて単純《たんじゅん》。
強引《ごういん》に相手《あいて》のガードをこじあけ打《う》ち込《こ》む、
いわば力《ちから》まかせの技《わざ》…

ゴロロロロ…
なるほど…
そこまで見切《みき》っているなら…
あっ おふくろっ!!
ぎく
なっ…
ダッ
はっ!!

この野郎《やろう》っっ!!
ザッ
パーン
金糸《きんし》緊縛翔《きんばくしょう》!!
シャッ
うっ!?
グルルル
力《ちから》まかせの技《わざ》の恐《おそ》ろしさ、見《み》せてやるぜ!
グイ

迎門《げいもん》鉄扇指《てっせんし》!!
あ…
ふっ。
本物《ほんもの》の早乙女乱馬《さおとめらんま》のわりには歯《は》ごたえねえな。
おい、
なんで海千拳《うみせんけん》で闘《たたか》わねえんだ?
海《うみ》…千《せん》…拳《けん》…

海千拳《うみせんけん》
山千拳《やませんけん》は
表裏一体《ひょうりいったい》、
ただし、
海千拳《うみせんけん》の
方《ほう》が、より
高度《こうど》な技《わざ》。
おれに
海千拳《うみせんけん》を
教《おし》えろ!
やつを
たたき
出《だ》す!
教《おし》える
わけには
いかん。
海千拳《うみせんけん》は、
山千拳《やませんけん》同様《どうよう》
封印《ふういん》すべき
邪拳《じゃけん》。
秘伝書《ひでんしょ》は
みつけ次第《しだい》
焼却《しょうきゃく》する!!
ヒュー…
知《し》らねえのか、
しらばっくれ
てんのか…
どっちでも
いいや。
海千拳《うみせんけん》
手《て》に入《い》れるまで、
息子《むすこ》のかわり
してやるよ。
ザッ
くっ…
おふくろ
さん家《ち》に
近《ちか》づくなよ。
おめーの
正体《しょうたい》
バラすぜ。

12

ケガしてるじゃないの!!
泥《どろ》だらけになって…
うちにいらっしゃい、手当《てあて》を…
おばさま…
ちょっとの間《あいだ》だけ…
会《あ》えなくなると思《おも》うけど…
え…?
あ…
たたっ
ザ

13

心配《しんぱい》しないでっ。
すぐまた遊《あそ》びにいくからねっ。
乱子《らんこ》ちゃん…?
海千拳《うみせんけん》はより高度《こうど》な技《わざ》…
山千拳《やませんけん》に勝《まさ》る技《わざ》!!

無差別格闘流
天道道場
くっ…
公紋《くもん》道場《どうじょう》だとう!?
ええ確《たし》かあいつ…
おれの本当《ほんとう》の名《な》は公紋《くもん》竜《りゅう》。
公紋《くもん》道場《どうじょう》の跡《あと》とりだった男《おとこ》…
な…
なんという運命《うんめい》のいたずら…
どすどすどす

ぐゎら
おやじーっ!!
乱馬《らんま》くん そのケガは…
あの竜《りゅう》って やつに…!?
すいっ
海千拳《うみせんけん》で やつに勝《か》って 自信《じしん》は あるか? 乱馬《らんま》…
教《おし》える気《き》に なったか、くそおやじ。

PART《パート》.4

特訓《とっくん》!! 海千拳《うみせんけん》

本来《ほんらい》封印《ふういん》すべき邪拳《じゃけん》・早乙女《さおとめ》流《りゅう》海千拳《うみせんけん》…
ヒュー
それをあえて伝授《でんじゅ》するのだ。
一度《いちど》きりしか教《おし》えんぞ。
一度《いちど》でじゅうぶんでいっ。
わしらまで道場《どうじょう》からしめ出《だ》すとは…
本当《ほんとう》に門外不出《もんがいふしゅつ》の技《わざ》なのね。
のぞくな
早乙女玄馬

動作《どうさ》が大《おお》きく、強引《ごういん》で力《ちから》まかせの山千拳《やませんけん》を剛《ごう》とするなら、
海千拳《うみせんけん》は柔《じゅう》の拳《けん》。
より小《ちい》さく、より静《しず》かに…
より高度《こうど》な技術《ぎじゅつ》を要求《ようきゅう》される。
さて…どこからでもかかって来《こ》い。
!

ん!?
道場《どうじょう》の
中《なか》から…
のぞくな
早乙女《さおとめ》くんの
気配《けはい》が
消《き》えた!?
しーん
この
構《かま》え…
まるで
幽霊《ゆうれい》…
いくぜえ
おやじ!!
ダン
!?

え…!?
ぐわら
しーん
のぞくな
早乙女玄馬
すざっ
乱馬《らんま》の手当《てあて》を頼《たの》む…
もう終《お》わったのかい!!
乱馬《らんま》…!?

ら、乱馬《らんま》!!
こ、これは…
6
ボロボロだわ…
しかもパンツ一丁《いっちょう》になっとる!?
うわわわん
……

海千拳《うみせんけん》の極意《ごくい》、それは…
より小《ちい》さく、より静《しず》かに…
会得《えとく》してやる…
どんなことをしても…おふくろをとり戻《もど》す!
わしと公紋道場《くもんどうじょう》の因縁《いんねん》…?
だって…
おれの本当《ほんとう》の名《な》は公紋《くもん》竜《りゅう》。
公紋道場《くもんどうじょう》の跡《あと》つぎだった男《おとこ》…
竜《りゅう》はどうして道場《どうじょう》をつげなくなったの?
7
ふっ…
理由《りゆう》はきわめて単純《たんじゅん》。

わしの山千拳《やませんけん》が、公紋道場《くもんどうじょう》そのものをこの世《よ》から消《け》し去《さ》ってしまったのだからな。
な、なんと!!
ひとつの流派《りゅうは》をこの世《よ》から葬《ほうむ》り去《さ》るとは…
その公紋道場《くもんどうじょう》に…
まさか跡《あと》とりがいたとは…
竜《りゅう》よ…
海千拳《うみせんけん》の秘伝書《ひでんしょ》を捜《さが》すのだ!

海《うみ》千《せん》拳《けん》、山《やま》千《せん》拳《けん》…
ふたつの技《わざ》を会得《えとく》すれば、道場《どうじょう》再興《さいこう》も夢《ゆめ》ではない。
よい…な…
がくっ
とうちゃん、とうちゃーん!!
家捜《やさが》ししてもみつからねえ。
…となれば…
乱馬《らんま》ー。ごはんよー。
切腹
カチャ…
気《き》の毒《どく》だが…
しめあげて白状《はくじょう》させるしかねえか…

どうしたの？乱馬《らんま》。
にこ
ちっ…おれもまだまだ甘《あま》ちゃんだな。
もみもみ
じ〜ん
あらっいい気持《きも》ち。
ありがと乱馬《らんま》。
10
あれっ乱馬《らんま》…
のびてたはずなのに。
あかねー、お風呂《ふろ》にはいりなさーい。
はーい。

乱馬《らんま》のやつ…
修行《しゅぎょう》にでもでかけたのかしら。
ガラ…
!
下着《したぎ》の引《ひ》き出《だ》しに野菜《やさい》が…!?
ガラ
こっちも!
机《つくえ》の中《なか》も…
ガッ

あんたのしわざかーーっ!!
ちっ みつかったか。
さて新聞《しんぶん》でも読《よ》むか。
カサ…
ささささ
乱馬《らんま》くんは?
さー。
床板《ゆかいた》が…
根《ね》こそぎはずされとる…

乱馬《らんま》!
わが息子《むすこ》ながら恐《おそ》ろしいやつ!!
ただ一度《いちど》技《わざ》をくらっただけで…
海千拳《うみせんけん》の本質《ほんしつ》をズバリ見抜《みぬ》きよったか!!
す、するとこれはすべて…
海千拳《うみせんけん》の特訓《とっくん》!!
迷惑千万《めいわくせんばん》ね。
確《たし》かに邪拳《じゃけん》よ。
即刻《そっこく》、再《ふたた》び封印《ふういん》したまえ。
ヒュ
ったく…
あんな特訓《とっくん》で竜《りゅう》に勝《か》てるのかしら。
あかね。
ぎくっ

乱馬《らんま》!?
どこ!?
がばっ
海千拳《うみせんけん》の特訓中《とっくんちゅう》だ。
実《じつ》はおまえに頼《たの》みがある…
わかったわ。
わかったから乱馬《らんま》…
ちょっと顔《かお》みせて。
ぬっ
なんだよ。
乱馬《らんま》…
!

がんばって乱馬《らんま》。
あたしは応援《おうえん》してるからね。
え…
あかね…
じ〜ん
でも…
15
特訓《とっくん》は時《とき》と場所《ばしょ》を選《えら》んでやってもらいましょーか!
みし。。。
で、なんなの? 頼《たの》みって。
協力《きょうりょく》するわ。
いや、だからね…

おばさま
こんにちは。
あら、あかねちゃん。
！
あいつ確《たし》か…
本物《ほんもの》の乱馬《らんま》のそばにいた女《おんな》…
どしたの？乱馬《らんま》。
あなたの許婚《いいなずけ》のあかねちゃんじゃない。
え、許婚《いいなずけ》!?
……
……

PART《パート》.5

母《はは》からの手紙《てがみ》

ほら乱馬《らんま》、あなたの許婚《いいなずけ》のあかねちゃんよ。
……
こいつ…おれの正体《しょうたい》バラしに…
久《ひさ》しぶり。
にこっ
ほー…
…ってわけでもねーのか。

よー
あかね、
ちょっと会《あ》わない間《あいだ》にますますかわいくなったな。
さ、邪魔者《じゃまもの》は消《き》えましょ。
乱馬《らんま》、おかあさんちょっと買《か》い物《もの》に行《い》ってくるわね。
たっ
いってらっしゃーい。
どすっ
で、
3
なにしに来《き》た？
これ…
本物《ほんもの》の乱馬《らんま》からあずかってきた果《は》たし状《じょう》。
果たし状
勝負《しょうぶ》は明朝《みょうちょう》5時《じ》…？
カサ…

こちらは早乙女《さおとめ》流《りゅう》海千拳《うみせんけん》にて闘《たたか》う。
すなわち、おれ自身《じしん》が海千拳《うみせんけん》の生《い》きた秘伝書《ひでんしょ》だ。
おれが負《ま》けたら海千拳《うみせんけん》はおまえのもの。ただし、
おまえが負《ま》けたら山千拳《やませんけん》も封印《ふういん》させてもらう。
ふっおもしれえ。
互《たが》いの技《わざ》を賭《か》けて勝負《しょうぶ》ってわけか。
それともうひとつ。
こほ
ぐいっ

4

海千拳《うみせんけん》ごときのためにおふくろの心《こころ》もてあそびやがって、
おれは絶対《ぜったい》許《ゆる》さねえからな!
このオトシマエは勝負《しょうぶ》できっちりつけてやるぜ、すっとこどっこい!!
って伝《つた》えといてくれって。
お話《はなし》はずんでる?
全速力《ぜんそくりょく》でお買《か》い物《もの》してきちゃった。
はあはあはあ
そ…そお。
どどどど
…気《き》づいてねえ…

え、あかねちゃんもう帰《かえ》っちゃうの?
用《よう》すんだから…
あ、そうだ。
ぱたぱた
それじゃ、
この お手紙《てがみ》…
乱子《らんこ》ちゃんに渡《わた》してほしいの。
ぱたぱた
この前《まえ》会《あ》った時《とき》元気《げんき》なかったから…
どうしてかしらね、
あの子《こ》のことが気《き》になって…
おばさま…

6

ありがとうおばさま。
え…？
乱《らん》…
…子《こ》ちゃん、喜《よろこ》ぶと思《おも》う。
ぎゅっ
ただいま、乱馬《らんま》は？
まだ海千拳《うみせんけん》の特訓中《とっくんちゅう》らしくて…気配《けはい》がないのよ。
無差別格闘流
天道道場
AKANE
どこにいるんだろ。
ぱた

ひょい
ひょい
人《ひと》の部屋《へや》で
わけの
わからん
特訓《とっくん》するなっ
つってんのよっ。
みし
おふくろ
から?
あんたのこと
心配《しんぱい》してた
わよ。
8
乱子《らんこ》ちゃん
元気《げんき》ですか?
メくさっ
顔《かお》を
みせて
くれないので
おばさん
さみしいわ。

また遊《あそ》びに来《き》てね。
じ〜ん
おふくろ…
ん!?
な、なんだ!?
この封筒《ふうとう》…
乱子ちゃんへ
裏《うら》に文字《もじ》が…
ばばっ
こ、これは海千拳《うみせんけん》の秘伝書《ひでんしょ》!!
ええ!?

どういうこと!?
だってその手紙《てがみ》、乱子《らんこ》ちゃん宛《あて》に…
もしやおふくろ…
おれの正体《しょうたい》に気《き》づいて…?
ザワ…
ヒュ～

10

シュー!
ふっ、勝負《しょうぶ》で海千拳《うみせんけん》が手《て》にはいるなら…
おれは山千拳《やませんけん》をみがくのみ!!
無差別格闘《むさべつかくとう》早乙女流《さおとめりゅう》・山千拳《やませんけん》究極奥義《きゅうきょくおうぎ》…

鬼神《きじん》来襲弾《らいしゅうだん》!!
ガラ

竜《りゅう》よ、
海千拳《うみせんけん》を
捜《さが》すのだ…
よい…な…
がくっ
とうちゃん、
とうちゃーん!!
おやじ…
もう
すぐだ…
海千拳《うみせんけん》を
捜《さが》すために、
幼《おさな》い頃《ころ》から
たったひとりで
旅《たび》をしてきた…
あたたかい
人《ひと》の情《なさ》けとか、
胸《むね》をうつ
熱《あつ》い涙《なみだ》
なんぞ、
知《し》らないで
育《そだ》った…
ましてや
おふくろの
顔《かお》なんか…
13
生《う》まれた
時《とき》から
知《し》らねえ…

おかえりなさい。
あんまり遅《おそ》いから心配《しんぱい》で…
さ、早《はや》く帰《かえ》ろう。ごはんできてるわよ。
ああ…
おばさん…

おやじ!
出《で》てこいくそおやじ!!
天道道場
早乙女《さおとめ》くんなら、
そそくさと旅《たび》に出《で》たけど…
くそおっ逃《に》げやがったか!
ぐしゃ
おふくろが封筒《ふうとう》にたくした海千拳《うみせんけん》の秘伝書《ひでんしょ》…
この部分《ぶぶん》に書《か》いてあることが本当《ほんとう》なら…
おやじの野郎《やろう》!!

16

PART《パート》.6

電光石火《でんこうせっか》 海千拳《うみせんけん》！

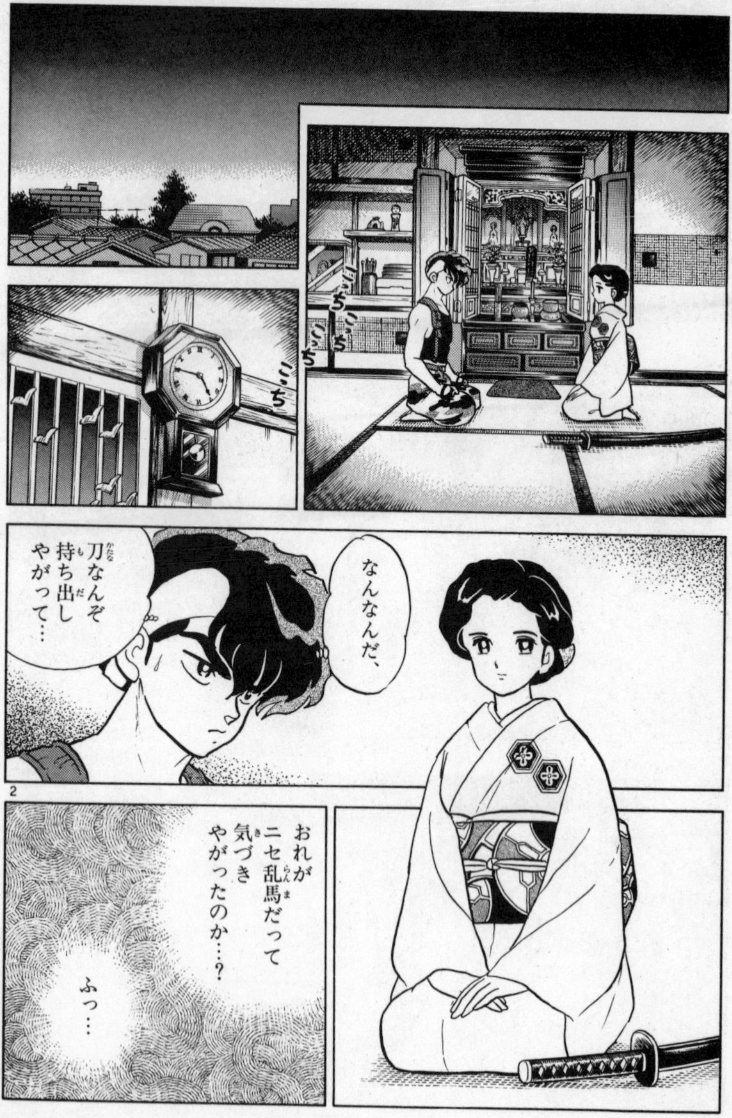
こっち
こっち
こっち
こっち
なんなんだ、
刀《かたな》なんぞ持《も》ち出《だ》しやがって…
おれがニセ乱馬《らんま》だって気《き》づきやがったのか…?
ふっ…

かまやしねえさ。
もうすぐ海千拳《うみせんけん》はおれのものになるんだからな。
あなたには…
武道家《ぶどうか》としてなにか大《おお》きな目標《もくひょう》があるのね。
え…
今《いま》からの闘《たたか》いも、
その目的《もくてき》を達成《たっせい》するため…？
！
3
男《おとこ》の人《ひと》が闘《たたか》いに行《い》く時《とき》は気配《けはい》でわかるのよ。
武道家《ぶどうか》の妻《つま》ですからね。

あなたは自分《じぶん》が正《ただ》しいと思《おも》う道《みち》を行《い》きなさい。
それが誇《ほこ》れることなら…
ギュッ
ぺこ
チチ…
ザッ…

おれは今《いま》からあんたの息子《むすこ》を殴《なぐ》りに行《い》くんだぜ。
あなたは自分《じぶん》が正《ただ》しいと思《おも》う道《みち》を行《い》きなさい。
それが誇《ほこ》れることなら…
ふっ…
そうさせてもらうよ、おばさん。
ザザ…

山千拳《やませんけん》もきょう限《かぎ》りだぜ、ニセモノ野郎《やろう》。

海千拳《うみせんけん》、もらい受《う》けに来《き》た。
仏像
こわすな
これより無差別格闘《むさべつかくとう》早乙女流《さおとめりゅう》、
海千拳《うみせんけん》対《たい》山千拳《やませんけん》の闘《たたか》いを開始《かいし》するが、
本名《ほんみょう》公紋竜《くもんりゅう》。
ピタ

きみが負《ま》けたら山千拳《やませんけん》を封印《ふういん》する。
この約束《やくそく》に異存《いぞん》はないね。
ああ、おれは負《ま》けっこねえからな。
おれからもひとつ。
おまえが負《ま》けたらおふくろにあやまってもらう。
だましてすみませんでしたってな。
ピク…

ふっ……
いいだろう。
それからもうひとつ。
おれにも土下座《どげざ》してあやまってもらおうか。
……
9
さらに！
おれはニセ乱馬《らんま》です、とゆー看板《かんばん》しょって町内一周《ちょうないいっしゅう》してもらおうかな。
ニセ乱馬通過地点
文具 オガワ
おれはニセ乱馬です
ニセモノですって
んまーっ
なんて醜いやつなの
てめえいいかげんに…
乱馬《らんま》くんなにもそこまで…
ずうずうしいんじゃ…？

ダン
黙《だま》れっ!!
猛虎《もうこ》開門破《かいもんは》!!
ギッ

ザッ
山千拳《やませんけん》……なんという剛《ごう》の拳《けん》!!
杉《すぎ》の大木《たいぼく》が割《わ》りバシみたいにまっぷたつに…
かわしたとはいえ…
こんな剛拳《ごうけん》に乱馬《らんま》の海千拳《うみせんけん》は勝《か》てるのかしら…!?

ヒュ
ザッ
仏像こわすな
余裕《よゆう》じゃねえか、一発《いっぱつ》めわざとはずしただろう。
ええ!?
ふっ、いきなりたたきのめしちまったら、
海千拳《うみせんけん》の実演《じつえん》が見《み》られねえからな。
そうかい、とにかく。
ドサ
それは返《かえ》しとくぜ。

これはおれの…
おおっ!
いつの間《ま》に…
早乙女流《さおとめりゅう》海千拳《うみせんけん》は…
スッ
見《み》えちまったら、
意味《いみ》がねえんだよ…
あの構《かま》えは…
乱馬《らんま》の気配《けはい》が消《き》えた…

しゃらくせえ!
14
くっ…!?

ダンッ
スタッ
こっ
これは…
海千拳《うみせんけん》の特訓《とっくん》で乱馬《らんま》がうけた技《わざ》の再現《さいげん》…
無差別格闘《むさべつかくとう》早乙女流《さおとめりゅう》海千拳《うみせんけん》、白蛇吐信掌《はくだとしんしょう》。
見《み》えたか？
くっ…
15

まいった…
!?
こわすな
いちいち体《からだ》で覚《おぼ》えるには…
海千拳《うみせんけん》はちょっときついぜ…
金絲《きんし》緊縛翔《きんばくしょう》!!
ぶん殴《なぐ》って白状《はくじょう》してもらおうかな。
この野郎《やろう》〜〜〜!!

16

PART《パート》.7

海《うみ》の家《いえ》、山《やま》の家《いえ》

ふっ、
早《はや》いとこ
海千拳《うみせんけん》の技《わざ》を
白状《はくじょう》しねえと…
ザ…
仏像
こわすな
迎《げい》門《もん》鉄《てっ》扇《せん》指《し》!!
いかん、
心臓《しんぞう》を
つかまれる…
ああっ!

鎧《がい》戸《こ》烈《れつ》牙《が》断《だん》!!
ギリギリ
この野《や》郎《ろう》!

支《し》柱《ちゅう》落《らく》地《ち》勢《せい》!!
白《はく》蛇《だ》吐《と》信《しん》掌《しょう》!!
くっ…
むうっ!

見《み》えてきたぞ、海千拳《うみせんけん》山千拳《やませんけん》の原理《げんり》!!
え…!?
家《いえ》だ!
両拳《りょうけん》ともに互《たが》いの肉体《にくたい》を家《いえ》に見立《みた》てて…
屋根《やね》
玄関《げんかん》
門《もん》
裏口《うらぐち》
支柱《しちゅう》
床下《ゆかした》
家《いえ》…!?
5
相手《あいて》の門《もん》を開《あ》けよ…
これはいわば拳法《けんぽう》の真理《しんり》…

思《おも》えば竜《りゅう》の山千拳《やませんけん》はまさに、
猛虎《もうこ》開門破《かいもんは》!!
ぐわら
正面《しょうめん》から門《もん》をぶち破《やぶ》って乱入《らんにゅう》するごとき剛《ごう》の拳《けん》!
それに対《たい》して乱馬《らんま》くんの海千拳《うみせんけん》は、
気配《けはい》を消《け》して常《つね》に相手《あいて》の死角《しかく》からうちこむ…
いわば裏口《うらぐち》から侵入《しんにゅう》し、内部《ないぶ》から破壊《はかい》する柔《じゅう》の拳《けん》!!

あの、家《いえ》の中《なか》での奇妙《きみょう》な特訓《とっくん》の数々《かずかず》…
一瞬《いっしゅん》の床板《ゆかいた》はずし、
支柱落地勢《しちゅうらくちせい》！
電光石火《でんこうせっか》のタンスの開《あ》け閉《し》め…
白蛇《はくだ》吐信掌《としんしょう》！
すべて海千拳《うみせんけん》に結《むす》びついていたんだわ!!
あのスチャラカな早乙女《さおとめ》くんがこのようなすごい技《わざ》をあみ出《だ》すとは…
普段《ふだん》はグータラしてるけど、早乙女《さおとめ》のおじさま…
本当《ほんとう》はすごく強《つよ》いんじゃ…？

ずずい
てへへっ そんなに ほめられると 困《こま》るなあ。
早乙女《さおとめ》くん きみって やつは…
みし…
どこに 逃《に》げて たのよ。
少《すこ》しは わかって きたか？
海千拳《うみせんけん》…
く…

わかったぜ、少《すく》なくとも海千拳《うみせんけん》の弱点《じゃくてん》はな…
ユラ。。
なにい〜〜〜〜?
おじさま、海千拳《うみせんけん》に弱点《じゃくてん》なんかあるの?
むうっ…
あのことに気《き》づいたとすれば…公紋《くもん》竜《りゅう》…恐《おそ》ろしい男《おとこ》!
おもしれえ…
すすす…
教《おし》えてもらおうじゃねえか弱点《じゃくてん》とやらを。

ぴた
おふくろさんにおまえの正体《しょうたい》バラすぜ。
一緒《いっしょ》に暮《く》らしてみてわかったぜ。
〝乱馬《らんま》〟は男《おとこ》らしくなくちゃいけなかったんだ。
本当《ほんとう》の息子《むすこ》がおめーみてえなオカマ野郎《やろう》だと知《し》ったら、さぞ悲《かな》しむだろうなあ!
ぴき
くっ…

そんなおどしにひっかかるおれだと…
思《おも》ってんのかあっ!!
いかん乱馬《らんま》!

気配《けはい》を消《け》して
相手《あいて》の死角《しかく》に
まわりこむのが
海千拳《うみせんけん》の極意《ごくい》、
しかるに
乱馬《らんま》は
竜《りゅう》の術中《じゅっちゅう》に
はまり…
怒《いか》りの闘気《とうき》を
発散《はっさん》している!
あれでは…
見《み》えた!
くっ。

12

懐中抱珠殺《かいちゅうほうじゅさつ》!!
乱馬《らんま》!!
いかん つかまった!
このまま 背骨《せぼね》へし折《お》って やろうか!
くっ…

ち…
ちくしょう…
タタン
タタン
ペタ
スッ
切腹
トン

ピシ…
パカ…
あ…？
湯飲《ゆの》みがひとりでに…
カラン…
なにかしら…
この胸《むな》さわぎ…
降参《こうさん》しねえとおまえ死《し》ぬぜ…
くっ…
ギャアギャア
ドサササ…

おふくろが封筒《ふうとう》にたくしてくれた海千拳《うみせんけん》秘伝書《ひでんしょ》の・・・あの技…
できれば使《つか》いたくなかったが…
使《つか》うしかねえ!!
おおっ!!
あ、あれは…

PART《パート》.8
山《やま》千《せん》拳《けん》の悲《ひ》劇《げき》

乱馬《らんま》あれを使《つか》う気《き》か!!
護身《ごしん》流星布《りゅうせいふ》!!
乱馬《らんま》くんの手元《てもと》からなにかが…
ふ、ふろしき!?

！
ぐわっ!!
く、首《くび》をしめてる！
おうっ なんと 過激《かげき》な!!
くっ…
鯉魚《りぎょ》翻身《ほんしん》!!
よしっ 手《て》が ゆるんだっ!!

ぐわっ!!
背山倒海態《はいざんとうかいたい》!!
おーし そのまま 一気《いっき》に しめおとせっ!!
むうっ まさに 攻防一体《こうぼういったい》!
流《なが》れるような 連続技《れんぞくわざ》だわ!!
このっ!
金絲《きんし》緊縛翔《きんばくしょう》!!
こっ、
このままでは あたら 若《わか》い命《いのち》が…

ちぇすとー
ザッ
おとうさん!?
ぢょっきん
ギッ
ドザザッ
なにしやがる!
ギッ
げほげほ
この男《おとこ》を殴《なぐ》りたまえ!!
グイ
ん?
?
5
こいつこそは海千拳《うみせんけん》山千拳《やませんけん》の創始者《そうししゃ》、
いわばきみの本当《ほんとう》の敵《かたき》だ。
天道《てんどう》くんきみってやつは…
敵《かたき》?

聞《き》けば この早乙女《さおとめ》くんが 山千拳《やませんけん》を使《つか》って、
きみの 継《つ》ぐはずだった 公紋道場《くもんどうじょう》を つぶしたと いうではないか。
ぺんぺん
なに 言《い》ってやがる。
そんな タコおやじ 知《し》らねえ。
第一《だいいち》 道場《どうじょう》を つぶしたのは、
おれの おやじだ。
!?
ど…
どういう ことだね!?
さよう、
わしは 山千拳《やませんけん》の 秘伝書《ひでんしょ》を こいつの父《ちち》に 渡《わた》しただけ。
ぬっ
なにいっ。

うちは貧乏《びんぼう》だった。
道場《どうじょう》は冗談《じょうだん》ぬきで傾《かたむ》きかけていた。
斜度《しゃど》60°
ある日《ひ》おやじが…
竜《りゅう》、すごい巻物《まきもの》を手《て》にいれたぞ!
ぎしっ ぎっ
そろそろ
聞《き》けば親切《しんせつ》な旅《たび》の武道家《ぶどうか》から譲《ゆず》りうけたという…
この山千拳《やませんけん》をきわめれば道場再興《どうじょうさいこう》も夢《ゆめ》ではない!!
本当《ほんとう》かとうちゃん。

なるほど、山千拳《やませんけん》とは人体《じんたい》を家《いえ》に見立《みた》てた拳法《けんぽう》とみつけたり。
よし、特訓《とっくん》じゃっ。
猛虎《もうこ》開門破《かいもんは》!!
毒蛇探穴掌《どくじゃたんけつしょう》!!
懐中抱珠殺《かいちゅうほうじゅさつ》!!
大黒柱
こうして…
かろうじてもちこたえていた道場《どうじょう》はくずれさった。
ガラガラ
ぺしゃっ

8

よ…
よいか
竜《りゅう》、
海千拳《うみせんけん》の
秘伝書《ひでんしょ》を
捜《さが》すのだ…
がくっ
とうちゃん、
とうちゃーーん!!
おい
そこの
タコおやじ。
ビッ
タコでは
ない。
海千拳《うみせんけん》と
山千拳《やませんけん》を
合《あ》わせて
使《つか》えば
道場再興《どうじょうさいこう》は
可能《かのう》、
これに
間違《まちが》いは
ねえなっ!?
たしかに…
だが…
9
ふっ…

ゴゴゴ…
は————
!
な、なんだ、この気《き》の高《たか》まりは…
いかん、逃《に》げるんだ——っ!!
ダッ

早乙女流《さおとめりゅう》
山千拳《やませんけん》
究極奥義《きゅうきょくおうぎ》、
鬼神《きじん》
来襲弾《らいしゅうだん》!!
ばかもん
逃《に》げろ
乱馬《らんま》──っ!!

12

なっ
なにい!?
グラ
グラ
拳圧《けんあつ》で
仏像《ぶつぞう》を
切《き》り裂《さ》いた!!

ふっ…
シュ〜
くっ…
さあ…命《いのち》が惜《お》しかったら、
海千拳《うみせんけん》の技《わざ》、洗《あら》いざらい白状《はくじょう》しな。
バキボキ
おまえ…
技《わざ》の使《つか》い方《かた》を間違《まちが》ってるぜ…
なにい!?
おめーの技《わざ》はものを壊《こわ》すだけ…
なにも生《う》み出《だ》さねえ…
ヨロ…

14

これだけは教《おし》えといてやろう。
海千拳《うみせんけん》山千拳《やませんけん》は…
生《い》きるための技《わざ》!!
生《い》きる!?
こっから先《さき》はおまえの体《からだ》で味《あじ》わってもらう…
もう一度《いちど》うってみな、
鬼神《きじん》来襲弾《らいしゅうだん》。

ふっ…
ならば
遠慮《えんりょ》なく……
ゴゴゴ
ザザ
ん!?
16
お…
おばさん!?
ザザ…
おふくろ…
どうして
ここに…

PART《パート》.9
見《み》えない秘《ひ》拳《けん》

おふくろ!!
ザッ
ザッ
ザッ
おばさん。
おばさま どうして ここに…
むうっ、
われら 父子《おやこ》の姿《すがた》を 見《み》られては 一大事《いちだいじ》!!

どうしたのかしら、胸《むな》さわぎがおさまらない。
ザッザッ
ひゅるるるる
ざっしゃ
パンダちゃん…どしたの?
奥さんお話がっ
ぎゅっ
すたたた
しゃっ
とっとと決着つけろ
はしっ
はっ。

鬼《き》神《じん》来《らい》襲《しゅう》弾《だん》!!
たわっ!
ああっ。
ピシ
ピシ

スキだらけになりやがって、
そんなにおふくろさんに会《あ》うのがこわいのか？
こんの野郎《やろう》〜〜〜
もはや一刻《いっこく》の猶予《ゆうよ》もねえ!!

護身《ごしん》大流星布《だいりゅうせいふ》!
あ…あれは…
ぬうっ大風呂敷《おおぶろしき》!?
そんなわけのわからんもので鬼神来襲弾《きじんらいしゅうだん》が…
ゴゴゴ

破《やぶ》れるかーっ!!
!?
乱馬《らんま》が…
消《き》えた!?
ザッ

ザク…
ピクッ…
バキーン
そこかーっ!!
ここでいっ。
!

なっ。
なにぃ!?
きゃっ。
わからん!!
乱馬《らんま》くんはなにをしようとしているのか!?
そもそも竜《りゅう》の使《つか》う鬼神来襲弾《きじんらいしゅうだん》とは戸板《といた》をぶち開《あ》ける要領《ようりょう》で空気《くうき》をこじ開《あ》け、
真空《しんくう》
その真空《しんくう》が生《う》み出《だ》すカマイタチで相手《あいて》を切《き》り裂《さ》く技《わざ》と見《み》た!!
9
しかるに竜《りゅう》の衣服《いふく》をひっぺがすことが…

したっ
打倒《だとう》
鬼神来襲弾《きじんらいしゅうだん》に
どう
結《むす》びつくのかっ!
はっ、
服《ふく》だけじゃ
ない…
さっきまで
あれだけ
あった
仏像《ぶつぞう》の
カケラが…
なくなって
いく…!?
はくしょお
しゅっ
しゅっ
しゅっ
野郎《やろう》
ふざけや
がって…

早《さ》乙《おと》女《め》流《りゅう》
山《やま》千《せん》拳《けん》
究《きゅう》極《きょく》奥《おう》義《ぎ》
その二《に》!!
その二《に》!?
鬼《き》神《じん》群《ぐん》大《だい》乱《らん》舞《ぶ》!!

鬼《き》神《じん》来《らい》襲《しゅう》弾《だん》の
無《む》差《さ》別《べつ》乱《らん》射《しゃ》!!
ドオオオン…
まー
てけてん
てけてん
すごいわ
パンダちゃん、
新《あたら》しい曲芸《きょくげい》
身《み》につけ
たのね。
パチ
パチ
楽しんで
いただけ
ましたか
さてと、
行《い》かなく
ちゃ。
ど、
どこに

ドオオオーー
ドーーー
なんだか胸騒《むなさわ》ぎがするんでお参《まい》りに来《き》たのよ。
あわわわ
すたすた
もうもう
くっそ〜〜〜
こそこそ逃《に》げ回《まわ》りやがって!
出《で》てきやがれ!!
見《み》えないのが海千拳《うみせんけん》、
そう教《おし》えたはずだぜ。

おめーの山千《やません》拳《けん》。
今《いま》から文字《もじ》どおり封印《ふういん》してやろう。
ずし…
なにぃ!!
ダ──
いくぜっ。
むうっ。
あの大《おお》風《ぶ》呂《ろ》敷《しき》…

押《お》しつぶすつもりか!? ばかが!!
最大級《さいだいきゅう》鬼神《きじん》来襲弾《らいしゅうだん》!!
よし!!

早乙女《さおとめ》流《りゅう》
海千拳《うみせんけん》
究極奥義《きゅうきょくおうぎ》。
夜《や》叉《しゃ》探《たん》海《かい》包《ほう》!!
!
地面《じめん》が
吸《す》いあげ
られた!?

PART《パート》.10

秘伝書《ひでんしょ》の真実《しんじつ》

地面《じめん》が吸《す》いあげられた!?
こ、これはいったい…
竜《りゅう》の打《う》ちあげた鬼神来襲弾《きじんらいしゅうだん》が生《う》み出《だ》す真空《しんくう》を大風呂敷《おおぶろしき》でブロック!
風呂敷《ふろしき》の中身《なかみ》をつめながら、
同時《どうじ》に竜《りゅう》のまわりの地面《じめん》をゆるめておき、

上《うえ》から押《お》された真空《しんくう》は、
四方《しほう》の空気《くうき》とゆるんだ地面《じめん》を巻《ま》きあげ、
大風呂敷《おおぶろしき》のごとくすべてを包《つつ》み埋《う》めつくす！
これが夜叉探海包《やしゃたんかいほう》だ――っ!!
真空《しんくう》

カラン
てこずらせやがって…
ぜ～ぜ～
勝負《しょうぶ》あった!!
乱馬《らんま》…
約束《やくそく》どおりきみの山千拳《やませんけん》は封印《ふういん》する。
いいね。
……
ちくしょう!

竜《りゅう》…さっきも言《い》っただろ。
海千拳《うみせんけん》も山千拳《やませんけん》も、おめーの使《つか》い方《かた》じゃだめなんだ。
どういうことだ!!
5
早乙女流《さおとめりゅう》海千拳《うみせんけん》山千拳《やませんけん》は邪拳《じゃけん》なれど、
ずし…
生《い》きるための技《わざ》ということよ。
早乙女《さおとめ》くん。
おじさま…

今《いま》こそ語《かた》らずばなるまい。
海千拳《うみせんけん》山千拳《やません けん》の真髄《しんずい》を!!
うむ!
一見《いっけん》海千拳《うみせんけん》山千拳《やませんけん》は、
人体《じんたい》を家《いえ》に見立《みた》てそれを破壊《はかい》する必殺技《ひっさつわざ》。
屋根《やね》
玄関《げんかん》
裏口《うらぐち》
支柱《しちゅう》
門《もん》
床下《ゆかした》
一見《いっけん》!?

パッ
おふくろがおれにたくした…海千拳《うみせんけん》の秘伝書《ひでんしょ》だ。
ばっ
海千拳《うみせんけん》の秘伝書《ひでんしょ》!?
乱子
うぐっ!
ふ…
ぶるぶる
乱子ちゃんへ
こっ…こそどろ!?

さよう すなわち、竜《りゅう》の山千拳《やませんけん》は家《いえ》の正面《しょうめん》から乱入《らんにゅう》する強盗《ごうとう》の心得《こころえ》。
動《うご》くな!!
ひいいい
一方《いっぽう》、乱馬《らんま》の海千拳《うみせんけん》は裏口《うらぐち》から侵入《しんにゅう》し、
あくまで静《しず》かにことを運《はこ》ぶコソ泥《どろ》の心得《こころえ》。
ひょりひょりひょり
ご…強盗《ごうとう》と…
コソ泥《どろ》…
確《たし》かに生《い》きるための技《わざ》…

ふっ ふざけんな!
最後《さいご》の大技《おおわざ》なんぞどこがコソ泥《どろ》だ!!
夜叉探海包《やしゃたんかいほう》か…
盗《ぬす》んどったろーが、
きみの山千拳《やませんけん》が生《う》み出《だ》す真空《しんくう》の力《ちから》を。
くっ…
きみの父上《ちちうえ》も…
ふっ
山千拳《やませんけん》の真髄《しんずい》を正《ただ》しく理解《りかい》し稼《かせ》いでいれば、
どじゃ
どじゃ
公紋道場《くもんどうじょう》再興《さいこう》も夢《ゆめ》ではな…
海千拳《うみせんけん》山千拳《やませんけん》とその生《う》みの親《おや》、
確《たし》かに封印《ふういん》させてもらったぜ。
ザッ

10

ダッ
おふくろ…
おばさん!!
邪魔なので
しびれ薬を
かがせて
オニか
きみは。
11
おばさん!!
しっかり
しろ!
おばさん!!
おばさん…?
はっ!

ちっくしょ〜〜〜
ザッ
ザッ
ザ…
あなたは本当《ほんとう》の乱馬《らんま》じゃないって…
うすうすわかっていたわ…
!
えっ…
こそ
なに!?
許婚《いいなずけ》のあかねちゃんの様子《ようす》みて…
なんとなく…

12

おばさん…
おれ…
楽《たの》しかった。
ありがとう。
まるで…
本当《ほんとう》に乱馬《らんま》が帰《かえ》ってきたみたいだった。
おばさん…
おふくろ…
乱馬《らんま》に…
本当《ほんとう》の息子《むすこ》に会《あ》いたいんだな!?
なっ…

本当《ほんとう》の乱馬《らんま》は……
14
……
どこにいるか知《し》らねえけど…
おばさんの気持《きも》ち…
おれが必《かなら》ず伝《つた》えといてやるよ。
ザッ

さよなら。
元気《げんき》でね。
キュッ
ザッ ザッ
ザッ…
早《はや》く名乗《なの》り出《で》てやれよ…
じゃあなっ。
さようならおばさん。
15
あいつ…

カサ…
海千拳《うみせんけん》の
秘伝書《ひでんしょ》…
本当《ほんとう》に
おふくろは
おれが乱馬《らんま》と
知《し》ってて…？
あの〜〜
おず
おず
あらっ
乱子《らんこ》ちゃん。
この
封筒《ふうとう》…
あら
それ…？
昔主人《むかししゅじん》が旅先《たびさき》から
「武道家《ぶどうか》の妻《つま》として
処分《しょぶん》しろ」って
送《おく》ってきた巻物《まきもの》なの。
リサイクル
ですか。
うむ
質実剛健
ぺた
ぺた
おばさま、さすが
貧乏《びんぼう》武道家《ぶどうか》の
妻《つま》ね。
ぺた

PART《パート》.11

乱馬《らんま》の涙《なみだ》

乱馬《らんま》よ、今《いま》まで厳《きび》しい修行《しゅぎょう》によう耐《た》えた。
もうわしが教《おし》えることはなにもない。
さらさらさらさら
なんだよじじい、あらたまって…
お、おむかえが来《き》たようじゃ。
おじいさ〜んいらっしゃ〜い。
キィ〜…
はっ、もしやここは三途《さんず》の川《かわ》…
それじゃじじいは…
お別《わか》れじゃ乱馬《らんま》〜〜
キィ〜コ
キィ〜コ
じじい!

2

わかった、引《ひ》き止《と》めねえっ。
迷《まよ》わず成仏《じょうぶつ》しろよ、じじい。
ばっしゃ
ぶわっ、つめてー。
がば
3
おっはよっ乱馬《らんま》。
じゅわっ
ん?
じゅわ?
じじい、熱《ねつ》あるんじゃねえか?
そーなんじゃ。

どお〜〜も
風邪《かぜ》を
ひきこんだ
らしく…
具合《ぐあい》が
悪《わる》いんなら…
ヤレヤレ
けほけほ
朝《あさ》っぱらから
くだらんこと
すんじゃねー。
どたたた
ひょーい
でーい。
ふっ、
バカめ。
そんな
蹴《け》りなど…
え?
ん!?
みし。
おのれ。
くるる
八宝《はっぽう》
大華輪《だいかりん》。
シュッ

ちゅどーん
カーン
けっ、ざまあみやがれくそじじいっ。
のろのろ
……
ん?
とぼとぼ
反撃《はんげき》してこねえ…?
5
おい、もしかすると本《ほん》っつっ当《とう》に具合《ぐあい》が悪《わる》いのか?
心配《しんぱい》するな、すぐ治《なお》る…

トカゲの尻尾《しっぽ》
ネコのヒゲ、
タカのツメ
ギョーザの皮《かわ》、
ご〜り
ご〜り
ニンニク
高麗人参《こうらいにんじん》。
なんだ?
風邪薬《かぜぐすり》か?
ふふふふ
ふふふふ。
甘《あま》いわ。
若返《わかがえ》りの
妙薬《みょうやく》よ。
ギロ
わ、
若返《わかがえ》り!?
さてと
完成《かんせい》じゃ。
覚悟《かくご》せい、
乱馬《らんま》。
先《さき》ほどの
借《か》り、
きっちり
返《かえ》させて
もらうぞ。
げへへへ

がぼがぼがぼ
ぼん
おかしい。
ぜ～ぜ～
調合法《ちょうごうほう》に間違《まちが》いはなかったはずじゃが…
ん？
薬剤
なっ、なんと。
がば
一番《いちばん》大切《たいせつ》なものが抜《ぬ》けておった。
薬剤
若返《わかがえ》りの薬《くすり》？
ったくあのじじーは…
はっ、殺気《さっき》。

ボン
ボン
ぶわっ。
きゃっ。
こっ、これは。
げほげほ
ごほ
催涙《さいるい》ガス!?
ポロポロ
はっ。
じじい。
しゅた
ひょろん
なんのマネだ。
おとなしく涙《なみだ》をよこせ~~~~
ぜへ~ぜへ~!

涙《なみだ》!?
グイ
さよう、
若返《わかがえ》りの妙薬《みょうやく》の重大《じゅうだい》な材料《ざいりょう》、
ふしゅる~…
それは…
ぜ~ぜ~
男《おとこ》のような女《おんな》のような不思議《ふしぎ》な生《い》き物《もの》の涙《なみだ》。すなわち、
乱馬《らんま》、きさまの涙《なみだ》じゃ――っ!
ダッ
スポイト
誰《だれ》が不思議《ふしぎ》な生《い》き物《もの》でいっ。
どん
腹《はら》へったー。
きんこ~ん
昼《ひる》メシだ昼《ひる》メシだ。
かぱっ
はっ。

タ、タマネギ!
つ~ん
そお~れ、すりすりすりすり。
あほんだらーっ。
あきらめはせぬっ!
しゅっ
たんたんたん
へい お待《ま》ち!!
おっ、寿司《すし》だ!
どやどや
いーなー乱馬《らんま》。
欲《ほ》しけりゃやるよ。
10
つ~ん
ぐわっ、ワ、ワサビがっ!
ぽろぽろ
ぽろぽろ
ぜ~ぜ~
きさまよくもわしの心《こころ》づくしを…
お~ま~え~な~

病気《びょうき》の時《とき》くらい、おとなしく寝《ね》てろーっ。
ぐしゃ
じゅっ
ぐわっ、あちちち。
う〜〜〜〜む。
あ、もう氷《こおり》とけちゃった。
ぜへ〜ぜへ〜
じじい、すまなかった。

こんなにひどい病気《びょうき》だとは思《おも》わなかったんだ。
ら…乱馬《らんま》…？
ぜへ〜ぜへ〜

こんな
おれの涙《なみだ》で
よかったら、
使《つか》ってくれ…
おおっ、
乱馬《らんま》の涙《なみだ》っ。
お師匠《ししょう》さま、
しっかり。
いかん、
熱《ねつ》に
うかされて
おいでだっ。
聞《き》けば
男《おとこ》のような
女《おんな》のような
不思議《ふしぎ》な
生《い》き物《もの》の涙《なみだ》が
必要《ひつよう》とかっ。
おううっ
さあっ、
われらの
涙《なみだ》を
存分《ぞんぶん》にっ！
存分《ぞんぶん》にっ!!
ぼたぼた
ぴしょっ

寿命《じゅみょう》がちぢんだわ、たわけーっ！
乱馬《らんま》――――っ!!
ぜへ～ぜへ～
なんでい。
もう四《し》の五《ご》の言《い》わん。勝負《しょうぶ》せい。
ひょろろ
寝《ね》てろってば。
問答《もんどう》無用《むよう》――っ！
こんなもんっ。
ひょろろ
とす
ん？
じわっ

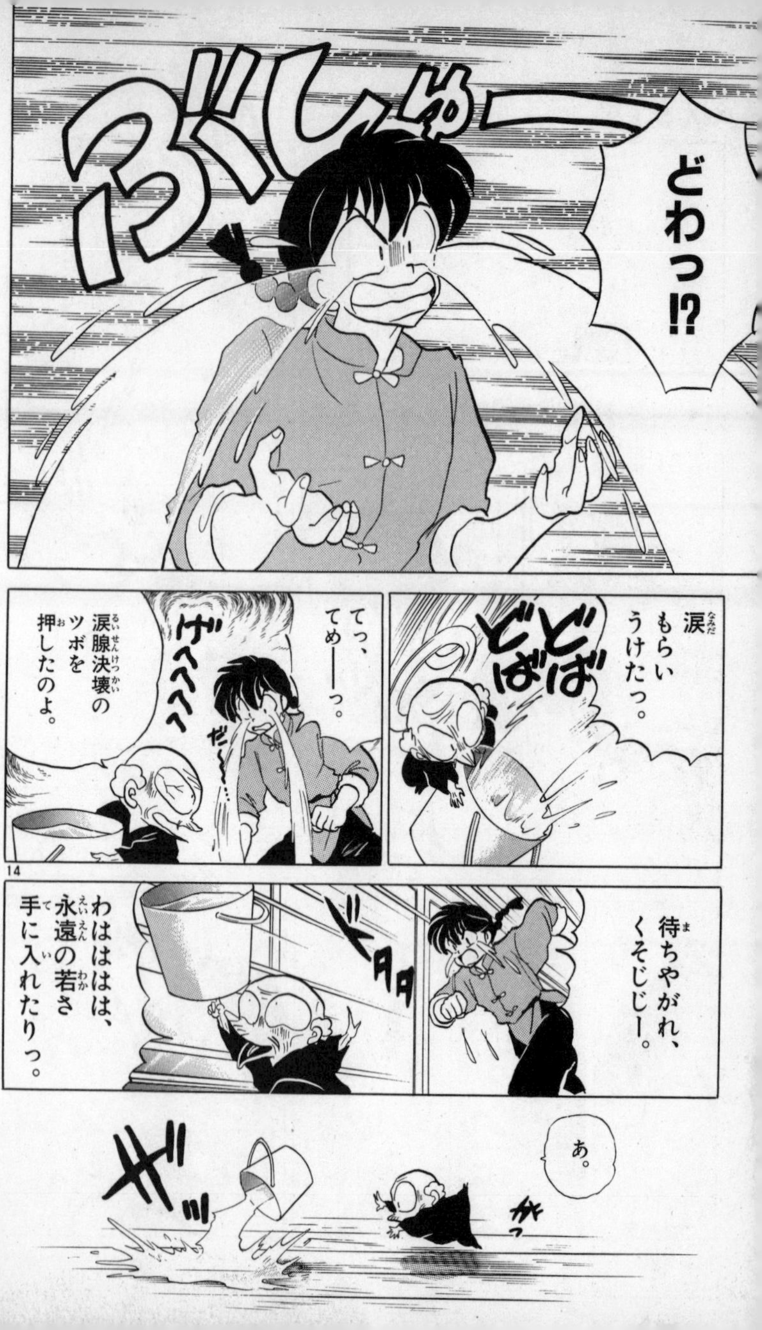
ぶしゅーー
どわっ!?
涙《なみだ》もらいうけたっ。
どぼどぼ
てっ、てめーーっ。
げへへへへ
だ〜〜…
涙腺《るいせん》決壊《けっかい》のツボを押《お》したのよ。
待《ま》ちやがれ、くそじじー。
わはははは、永遠《えいえん》の若《わか》さ手《て》に入《い》れたりっ。
ザッ
あ。

そっ
気《き》にしないで おじいさん、おそうじの途中《とちゅう》だから。
ふきふき
じゃっ
もう涙《なみだ》なんか枯《か》れ果《は》てたぜ。
どしゃ
じじい、
おい じじい、しっかりしろ。
たっぷん
さ、若返《わかがえ》りの妙薬《みょうやく》だぜ。
ぢょっど待《ま》で… その涙《なみだ》は先《さき》ほどの…

〈掲載・週刊少年サンデー平成5年40号より平成5年50号まで〉

らんま½ ㉘

少年サンデーコミックス

1994年4月15日初版第1刷発行　　（検印廃止）

著者　高橋留美子
©Rumiko Takahashi 1994
発行者　白井勝也
印刷所　図書印刷株式会社
PRINTED IN JAPAN

発行所　（101-01）東京都千代田区一ツ橋二の三の一　株式会社 小学館
振替（東京8－200）
TEL　販売03（3230）5749　編集03（3230）5480

ISBN4－09－123098－9

…やっぱり、ま、負けたくないし!!
国見《くにみ》比呂《ひろ》と野田敦《のだあつし》の黄金《おうごん》バッテリーがいる千川高校野球部《せんかわこうこうやきゅうぶ》が、秋季大会準優勝校《しゅうきたいかいじゅんゆうしょうこう》との招待試合《しょうたいじあい》で大苦戦《だいくせん》。
だけど、比呂《ひろ》たちの〝高校野球《こうこうやきゅう》〟は、まだ始《はじ》まったばかり。
―とはいえドンマイドンマイ、これからだぜ!!

サワやかに、
ヒキョーに、
ツッパリGAG《ギャグ》!
今日《きょう》から俺《おれ》は!!
西森博之《にしもりひろゆき》
1~19巻
好評発売中!!

少年サンデーコミックス
S comics
青春《せいしゅん》しようぜ!!
高校生活最後《こうこうせいかつさいご》の夏休《なつやす》み、
三橋《みつはし》・理子《りこ》・伊藤《いとう》・京子《きょうこ》の四人《よにん》は、
愛《あい》と青春《せいしゅん》の軽井沢《かるいざわ》で
セッセと楽《たの》しい思《おも》い出《で》づくりに
ハゲんでいたわけだ。
ところが、やっぱり軽井沢《かるいざわ》にも
悪《わる》いやつらがいたりして、
んで、やっぱり三橋《みつはし》ったら
キレてしまったんだよね。
●金《かね》と女《おんな》にメチャ弱《よわ》い!
甘く危険なナンパ刑事
全2巻発売中!!

発行/小学館
Scomics
いま校舎《こうしゃ》が戦場《せんじょう》に!!
狙撃音《スナイパー》と伝説《でんせつ》の殺《ころ》し屋《や》・ジーザス!!

たがいの仮面《かめん》をはがすため
いま対決《たいけつ》する二人《ふたり》…
女性《じょせい》・
J.E.S.U.S
原作《げんさく》/七月鏡一《ななつききょういち》
作画《さくが》/藤原芳秀《ふじわらよしひで》
1～5巻発売中!!
拳児《けんじ》
原作《げんさく》/松田隆智《まつだりゅうち》
作画《さくが》/藤原芳秀《ふじわらよしひで》
八極拳《はっきょくけん》の極意《ごくい》と、不明《ふめい》の祖父《そふ》を捜《さが》しもとめて、中国大陸《ちゅうごくたいりく》を北《きた》から南《みなみ》へ歩《ある》き続《つづ》ける、少《しょう》年《ねん》・剛拳児《ごうけんじ》の一人旅《ひとりたび》!!
全21巻好評発売中!!
(21巻拳児外伝収録)

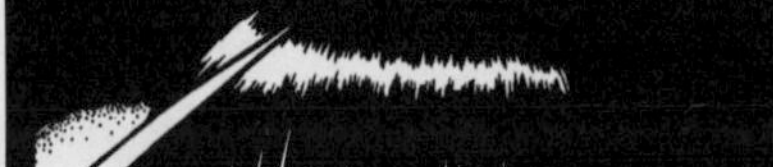

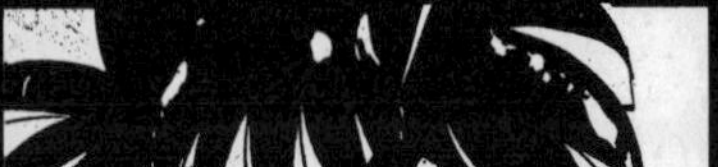

既刊好評発売中!!

- らんま1/2 高橋留美子 ★1〜28巻発売中!!
- 帯《おび》をギュッとね! 河合克敏 ★1〜22巻発売中!!
- 機動警察《きどうけいさつ》パトレイバー ゆうきまさみ ★1〜21巻発売中!!
- うしおととら 藤田和日郎 ★1〜18巻発売中!!
- 今日《きょう》から俺《おれ》は!! 西森博之 ★1〜19巻発売中!!
- 行《ゆ》け!!南国《なんごく》アイスホッケー部《ぶ》 久米田康治 ★1〜12巻発売中!!
- GS美神《ゴーストスイーパーみかみ》 極楽大作戦《ごくらくだいさくせん》!! 椎名高志 ★1〜11巻発売中!!
- (有)椎名百貨店《ゆうしいなひゃっかてん》 椎名高志 ★1〜3巻発売中!!
- H2《エイチツー》 あだち充 ★1〜7巻発売中!!
- ギャンブル王子《おうじ》 嵐《あらし》 中島徹 ★1〜4巻発売中!!
- いただきます! 山田貴敏 ★1〜4巻発売中!!
- 私立探偵《しりつたんてい》レイモンド 東 篤志 ★1〜3巻発売中!!
- 白蓮《びゃくれん》のファング 高橋よしひろ ★1〜2巻発売中!!
- ひと夏《なつ》の少女《しょうじょ》 木下健二 ★1巻発売中!!

人気作、話題作《わだいさく》が まとめて読める!!

少《しょう》年《ねん》サンデーコミックス

激鳥シアター	全1巻	上西園茂宣
青山剛昌短編集	全1巻	青山剛昌
YAIBA	全24巻	青山剛昌
4番サード	全1巻	青山剛昌
光路郎	全7巻	村枝賢一
♂ティンクル♀アイドル☆スター	全10巻	遠山光
学園帝国 俺はジュウベイ	全4巻	作・広井王子 画・中平正彦
拳児	全21巻	作・松田隆智 画・藤原芳秀
陸軍中野予備校	全6巻	安永航一郎
うっちゃれ五所瓦	全12巻	なかいま強
甘く危険なナンパ刑事	全2巻	西森博之
八神くんの家庭の事情	全7巻	楠桂
楠桂傑作集	全1巻	楠桂
うる星やつら	全34巻	高橋留美子
虹色とうがらし	全11巻	あだち充
ラフ	全12巻	あだち充
タッチ	全26巻	あだち充
ナイン	全5巻	あだち充
トキオ	全6巻	中原裕
タフ	全5巻	中原裕
人気者でいこう	全5巻	中原裕
ぶっちぎり	全14巻	中原裕

SHONEN SUNDAY COMICS

望郷戦士	全7巻	作・工藤かずや 画・北崎拓
MAOH	全4巻	作・荻島佐佑 画・天獅子悦也
格闘王物語 ビュンBOY	全3巻	作・ヒロナカヤスシ 画・丹羽啓介
少年雀鬼—東—	全6巻	中島徹
漂流教室	全11巻	楳図かずお
徳川生徒会	全2巻	中津賢也
黄門★じごく変	全2巻	中津賢也
フリーキック!	全8巻	原秀則
ジャストミート	全19巻	原秀則
ふぁうるちっぷ	全2巻	原秀則
B・B	全31巻	石渡治
ちょっとヨロシク!	全12巻	吉田聡
究極超人あ〜る	全9巻	ゆうきまさみ
みず谷なおき傑作集	全1巻	みず谷なおき
仮面ライダーBlack	全6巻	石ノ森章太郎
超龍戦記ザウロスナイト	全6巻	克・亜樹
符法師マンダラ伝カラス	全3巻	克・亜樹
克・亜樹傑作集	全2巻	克・亜樹
はっぴぃ直前	全6巻	克・亜樹
星くずパラダイス	全11巻	克・亜樹
燃える!!女子プロレス	全3巻	島本和彦
炎のニンジャマン	全4巻	島本和彦

既刊絶賛発売中!!

発行/小学館 S comics